Pinokio

Dawno, dawno temu, w małej wiosce w górach,
mieszkał stolarz Dżepetto. Mieszkał sam,
bo nie miał dzieci. Był bardzo samotny,
dlatego z kawałka drewna wystrugał śliczną
kukiełkę, którą nazwał Pinokio.

Dżepetto szybko zrozumiał, że była to niezwykła kukiełka, bo potrafiła mówić i myśleć – zachowywała się jak prawdziwe dziecko. Dżepetto od razu pokochał Pinokia. Pinokio był bardzo ciekawy świata, ale czasem bywał trochę nieposłuszny i niegrzeczny.

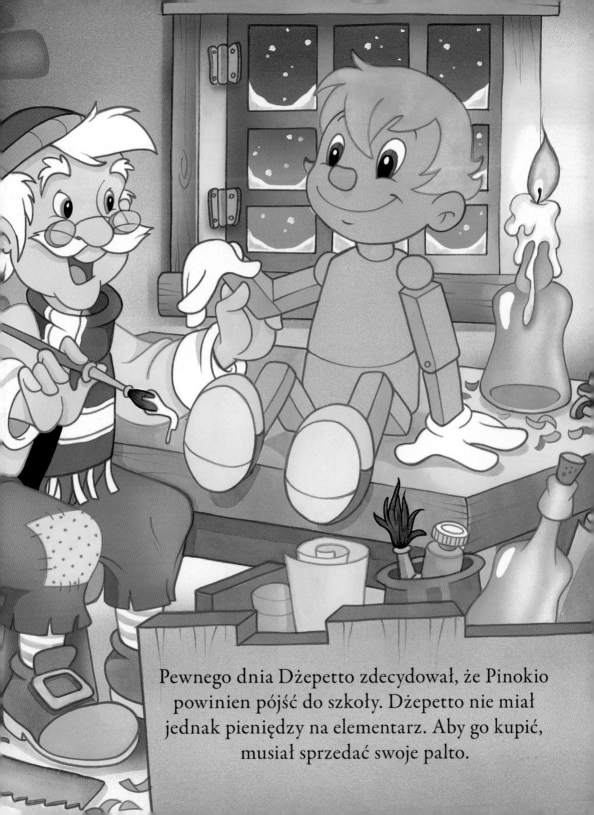

Pewnego dnia Dżepetto zdecydował, że Pinokio
powinien pójść do szkoły. Dżepetto nie miał
jednak pieniędzy na elementarz. Aby go kupić,
musiał sprzedać swoje palto.

Pinokio nie lubił chodzić do szkoły i nie lubił się uczyć.
Pewnego dnia sprzedał swój elementarz,
a za zarobione pieniądze kupił bilet na spektakl
w teatrze marionetek.

Pinokio był bardzo szczęśliwy,
gdyż w cyrku poznał inne kukiełki.
Wspólnie z nimi postanowił wystąpić
w przedstawieniu. Jednak gdy wyszedł
na scenę, zepsuł cały spektakl.

To bardzo zdenerwowało dyrektora teatru, Pinokio jednak przekonał go o swojej niewinności. Dyrektor wręczył mu złote monety i kazał mu jak najszybciej opuścić teatr.

W drodze powrotnej do domu Pinokio spotkał Kota i Lisa,
którzy byli wielkimi oszustami. Kiedy dowiedzieli się,
że Pinokio ma złote monety, oszukali go, że pomogą mu
rozmnożyć pieniądze. Powiedzieli mu: – Oddaj nam złote
monety! Chodź z nami do magicznego kraju, w którym
zasadzimy twoje pieniądze, a wtedy wyrośnie z nich ogromne
drzewo, na którym zamiast owoców, wyrosną złote monety!

Pinokio, znużony oczekiwaniem na pieniądze, zasnął. Kiedy się obudził, był mocno przywiązany do drzewa, a Lis i Kot ukradli jego monety i uciekli.

Zrozpaczony Pinokio
krzyczał głośno i lamentował:
– Oszuści! Ukradli moje złote
monety! Ależ jestem nieszczęśliwy!

Z pomocą przyszła Dobra Wróżka. Poprosiła, aby Pinokio opowiedział, co mu się przydarzyło. Pinokio nie powiedział całej prawdy. Wtedy zdarzyło się coś niezwykłego – kiedy Pinokio wypowiadał kolejne kłamstwo, jego nos stawał się coraz dłuższy.

Jednak Wróżka postanowiła dać
Pinokiowi jeszcze jedną szansę. Nakazała
mu, aby wracał do Dżepetta i był wreszcie
grzecznym chłopcem. Poprosiła też, aby
szanował ojca i zawsze wracał do domu zaraz
po skończonych lekcjach.

Niestety, Pinokio nie dotrzymał słowa danego Dobrej Wróżce i po raz kolejny wplątał się w tarapaty. Spotkał pewnego chłopca. On namówił go, aby wyruszyli do Krainy Leni – cudownego kraju, w którym nie ma rodziców, a wszystkie dzieci mogą robić to, na co tylko mają ochotę.

Chłopiec zataił przed Pinokiem jedną bardzo ważną sprawę: po dłuższym pobycie w Krainie Leni dzieci zmieniają się w osły, które wrzuca się do morza.

Kiedy Pinokio zamienił
się w osła, wrzucono
go do morza. Wtedy
rozszalała się straszliwa
burza i ogromne fale
miotały Pinokiem.
Niespodziewanie
podpłyną
wieloryb
i połknął chłopca.

Wtedy zdarzyło się coś
niesamowitego! W brzuchu wieloryba
Pinokio spotkał swojego ukochanego
ojca Dżepetta.

Nagle, kiedy wieloryb
kichnął, Pinokio i Dżepetto
wydostali się.
W końcu byli wolni!

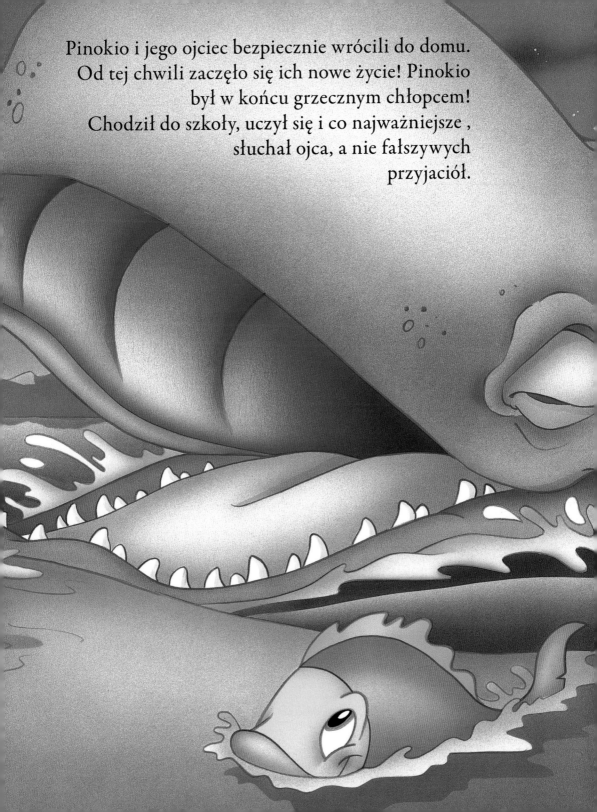

Pinokio i jego ojciec bezpiecznie wrócili do domu.
Od tej chwili zaczęło się ich nowe życie! Pinokio
był w końcu grzecznym chłopcem!
Chodził do szkoły, uczył się i co najważniejsze ,
słuchał ojca, a nie fałszywych
przyjaciół.

Pewnej nocy odwiedziła
Pinokia Dobra Wróżka
i rzekła do niego: –
Jestem z ciebie dumna!
W końcu jesteś grzeczny.
Zasługujesz na wyjątkową
nagrodę – zamienię cię
w prawdziwego chłopca.
Od teraz będziesz taki
sam jak inne dzieci,
będziesz prawdziwym
chłopcem.

Pinokio był bardzo szczęśliwy. Przejrzał się
w lustrze i uwierzył, że naprawdę jest chłopcem,
a nie drewnianą kukiełką. Pobiegł obudzić ojca,
aby i jemu przekazać tę wspaniałą nowinę!
Kiedy Dżepetto zobaczył Pinokia, zapłakał z radości
– był bardzo dumny i szczęśliwy.

Król Artur

Pewnego dnia król Anglii zdecydował, że nadszedł właściwy moment, aby oddać syna Artura pod opiekę Merlina. Merlin był magiem i przyjacielem króla, dlatego to właśnie jemu powierzono edukację księcia.

Książę Artur wychowywał się razem z synem maga Kajem. Merlin uczył ich, jak być dobrym, odważnym i szlachetnym rycerzem. Bardzo szybko młodzi chłopcy stali się nierozłącznymi przyjaciółmi.

Merlin dokładał wszelkich starań,
aby Artur otrzymał odpowiednie
i wszechstronne wykształcenie.
Uczył go nawet podstaw sztuki
magicznej.

Merlin przez cały czas ukrywał prawdziwą tożsamość Artura,
nikt nie wiedział, że to następca tronu. Artur dorastał,
a z każdym dniem stawał się mądrzejszy i silniejszy.

Pewnego dnia król niespodziewanie umarł. Możnowładcy
zdecydowali, że następcą tronu zostanie ten śmiałek,
któremu uda się wyjąć wyjątkowy miecz Excalibur,
który był wbity w kamień
i kowadło.

Mnóstwo rycerzy próbowało
wyjąć miecz, jednak brakowało
im siły, aby wykonać to zadanie.

Pewnego dnia na zamku królewskim odbywał się wielki turniej rycerski. W zawodach rycerskich postanowił wziąć udział Kai. Jego giermkiem został książę Artur.

Kiedy nadeszła kolej Kaja na wykonanie zadania, poprosił Artura, aby podał mu miecz. Jednak okazało się, że Artur zostawił broń w karczmie.

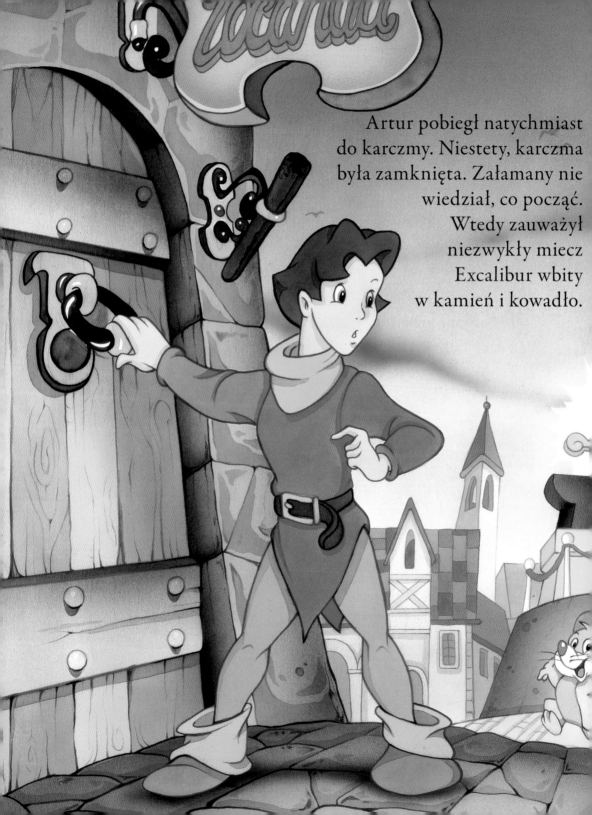

Artur pobiegł natychmiast do karczmy. Niestety, karczma była zamknięta. Załamany nie wiedział, co począć. Wtedy zauważył niezwykły miecz Excalibur wbity w kamień i kowadło.

Artur, nie znając magicznej
mocy miecza, postanowił wziąć go
i zanieść przyjacielowi. Młodzieniec
chwycił miecz i z łatwością uniósł go,
a wtedy miecz zalśnił jasnym blaskiem.
Zebrani wokół ludzie stali
w zdumieniu i zachwycie
i patrzyli na
Artura.

Możnowładcy nie mogli uwierzyć, że komuś udało się
podnieść miecz. Wtedy Artur
jeszcze raz go wyciągnął
i udowodnił, że zasługuje
na nagrodę i że tron
należy się jemu.

Przed Arturem pokłonił się
Merlin i zawołał:
– Pozdrawiam cię i oddaję ci pokłon,
nowy królu Anglii.

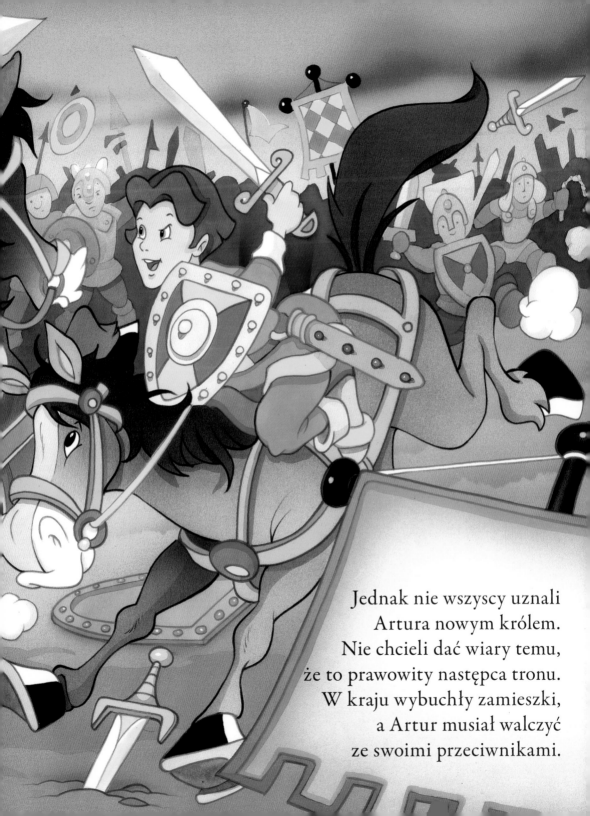

Jednak nie wszyscy uznali
Artura nowym królem.
Nie chcieli dać wiary temu,
że to prawowity następca tronu.
W kraju wybuchły zamieszki,
a Artur musiał walczyć
ze swoimi przeciwnikami.

Kraj ogarnęła wojna domowa.
Aby w Anglii zapanował
pokój, Artur powołał bractwo
szlachetnych i odważnych
rycerzy, których nazwano
Rycerzami Okrągłego
Stołu.

Król Artur najbardziej ukochał miasto Camelot i tam zamieszkał. Wkrótce ożenił się z księżniczką Ginewrą. Razem rządzili królestwem godnie i sprawiedliwie przez długie lata. Chętnie słuchali też mądrych rad Merlina.

Księga dżungli

Dawno temu w ogromnej indyjskiej dżungli sympatyczna
wilczyca urodziła cztery śliczne wilczątka.

Pewnego dnia stała się rzecz zupełnie
nieprawdopodobna.
Sere Khan, najgroźniejszy tygrys w dżungli,
w czasie ucieczki zgubił swoją zdobycz,
a był nią malutki chłopiec.

Chłopiec nie zdawał sobie sprawy, w jak groźnej i niebezpiecznej znalazł się sytuacji. Radośnie śmiał się do wilka, który go odnalazł.

Wilk przeczuwał niebezpieczeństwo,
wiedział, że Sere Khan zaraz wróci,
zabrał więc chłopca w głąb dżungli i ukrył go.
Tak chłopiec znalazł nową rodzinę.

Tygrys nie poddawał się jednak i chciał
za wszelką cenę odnaleźć chłopca.
Kiedy w końcu wytropił ich kryjówkę,
wilk szybko poprosił o pomoc Aka, mądrego
przywódcę stada wilków. Aka postanowił
uratować chłopca i przepędził Sere Khana,
a dziecko przyjął do stada wilków.

Wilkom bardzo spodobał się nowy
członek stada. Polubiły chłopca
i nadały mu imię Mowgli. Jego
nauczycielem został mądry i cierpliwy
niedźwiedź Baloo, który opowiadał mu
pasjonujące historie o dżungli i zdradzał
mu swoje sekrety.

Baloo nauczył Mowglia mowy zwierząt. Przestrzegał go również przed podstępnymi małpami. Dni mijały spokojnie, a Mowgli był coraz bardziej zręczny i samodzielny.

Mowgli zaprzyjaźnił się także
z Bagheerą, niezwykłą czarną
panterą. Ona nauczyła go,
jak bezpiecznie poruszać się
po dżungli, aby pozostać
niezauważonym przez nikogo.

Jednak Mowgli był
bardzo ruchliwy i często
zapominał o przestrogach
Baloo.

Pewnego razu Mowgli niezbyt uważnie
szedł po drzewie i spadł na ziemię
– wprost do stada małp.

Ciekawskie małpy schwytały chłopca i postanowiły go ukryć.

Małpy zaniosły chłopca
do króla stada. Ten podarował
mu swój ulubiony medalion.

Pewnego dnia, kiedy Mowgli dotarł do serca dżungli, zdarzyło się coś strasznego. Spotkał tam Shere Khana, który tyle lat czekał na sposobność, aby w końcu zemścić się na chłopcu.

Na szczęście w pobliżu byli Baloo i Bagheera,
którzy natychmiast rzucili się na ratunek.
Jednak tygrys był silniejszy od przyjaciół Mowgli'ego.
Niespodziewanie rozpętała się potężna burza,
a piorun uderzył w pobliskie drzewo.

Mowgli wpadł na świetny pomysł. Chwycił
płonącą gałąź i ruszył na tygrysa. Shere Khan,
poparzony ogniem, poddał się i szybko uciekł
w głąb dżungli.

Dzięki temu tygrys, który był postrachem wszystkich zwierząt, został ostatecznie pokonany. Baloo i Bagheera oznajmili Mowgliemu, że nadszedł czas, kiedy powinien wyruszyć na poszukiwania ludzi – swojej prawdziwej rodziny.

Mowgli bardzo zasmucił się
tym, że musi opuścić dżunglę,
jednak serce podpowiadało
mu, że powinien wyruszyć
w tę niebezpieczną podróż.

Kiedy po wielu dniach wędrówki przyjaciele podeszli blisko ludzkiej wioski, usłyszeli piękny śpiew. Potem zobaczyli przepiękną dziewczynę, która niosła wodę.

Mowgli nigdy wcześniej nie widział ludzi. Dziewczyna była do niego bardzo podobna, zrozumiał, że ludzie to jego prawdziwa rodzina. Chłopak był zachwycony dziewczyną. Zbliżył się do niej, a ona zapytała:

– Jak ci na imię?
– Mowgli – odpowiedział. Młodzi wzięli się
za ręce i spojrzeli sobie głęboko w oczy.
Od tego momentu zaczęło się dla Mowgliego
nowe, wspaniałe życie.

Piotruś Pan

W pewnym kraju żyła rodzina Darlingów. Mieli troje dzieci,
najstarsza córka nazywała się Wendy, a młodsi synowie
Janek i Michał. Ich życie było spokojnie i szczęśliwe,
dopóki nie pojawił się Piotruś Pan.

Pewnej nocy, kiedy rodzice wyszli na przyjęcie,
a ich dzieci zostały same w domu, przez otwarte
małe okno wleciał do pokoju Piotruś Pan.

Piotruś i wróżka Dzwoneczek
obudzili Wendy. Piotruś Pan
poprosił ją, aby poleciała
razem z nimi do Nibylandii.
Chciał, aby tam innym
dzieciom opowiadała
fantastyczne historie, które
słyszała od swojej mamy.

Wendy przystała na jego propozycję,
ale poprosiła, aby jej bracia także mogli
polecieć. Piotruś Pan zgodził się na to,
obiecał również, że nauczy ich latać na
wietrze. I tak wszyscy razem wyfrunęli
przez okno. Wkrótce rodzice wrócili
do domu i odkryli, że ich dzieci zniknęły.

Kiedy przyjaciele dotarli na wyspę, spotkali zagubione dzieci, które uciekały przed piratami. Szczególnie niebezpieczny był Kapitan Hak, który od dawna ścigał Piotrusia Pana.

Wszystkie dzieci spotkały się
w obozie, wspólnie przygotowały
wyjątkową kolację. Przy ognisku
Piotruś Pan zaczął opowiadać
swoje niesamowite przygody.

Piotruś opowiedział im także historię o Kapitanie Haku, który podczas walki z nim stracił rękę. Piotruś rzucił ją na pożarcie krokodylowi. Żarłoczna bestia pożarła rękę kapitana i jego zegarek, przez co z brzucha krokodyla słychać było: tik-tak, tik-tak, tik-tak...

Pewnego dnia, kiedy Piotruś Pan i Dzwoneczek
oddalili się od obozu, dzieci postanowiły pobawić
się w Indian. Wszyscy rozbiegli się po lesie w pobliżu
zatoki. Nagle zza skał wybiegli piraci na czele
z Kapitanem Hakiem. Piraci złapali dzieci
i uwięzili je na pirackim statku.

Kapitan Hak obmyślił chytry plan:
chciał podstępem zwabić
Piotrusia Pana w pułapkę, używając
dzieci jako przynęty. Łańcuchami
przykuł Wendy do masztu,
a chłopców uwięził w żelaznej klatce.

Nieświadomy niczego Piotruś Pan spokojnie odpoczywał na drzewie. Alarm podniósł Dzwoneczek, który widział, co się stało: – Piotrusiu, obudź się! Dzieci są w wielkim niebezpieczeństwie! Kapitan Hak uwięził ich na statku! – tłumaczył pospiesznie Dzwoneczek.

Nocą piracki statek kołysał się na falach.
Słychać było chrapanie wszystkich
piratów, tylko Kapitan Hak chodził tam
i z powrotem po pokładzie. Chwilę
jego nieuwagi wykorzystał Piotruś,
który uwolnił przyjaciół. Potem
wszyscy ruszyli odważnie na
piratów, którzy zupełnie się tego
nie spodziewali.

Rozwścieczony Kapitan Hak
podszedł do Wendy i zamierzył
się na nią szablą. Na szczęście
z pomocą ruszył Piotruś, który
był zwinniejszy i sprytniejszy
od niego. Kapitan Hak stracił
równowagę i wpadł do morza.
A tam czekał na niego kto?
Oczywiście krokodyl, ze swoim:
tik-tak, tik-tak, tik-tak...

Szczęśliwe dzieci padły sobie
w ramiona. Wtedy Wendy
zdecydowała, że to najwyższa pora,
aby wracać do domu, do rodziców.